UGLY DUCKLING PRESSE

ISBN 978-1-946604-19-4

Ugly Duckling Presse
The Old American Can Factory
232 Third Street #E-303
Brooklyn, NY 11215
www.uglyducklingpresse.org

Mátyus Melinda

Életeméséletem

UGLY DUCKLING PRESSE

(Bentbent, ahol két anya)

FOGALMAM SINCS, mekkora szerepem volt
ebben, fogalmam sincs, mi volt a baj. Csúnya
voltam, vagy csak rossz természetű, vagy nem
aludtam, és ettől teljesen kikészült?
Vagy volt valami titok, amiről nem tudok?
Amikor négyéves voltam, akkor adott oda ennek
a második anyámnak. Vagy nyimnyám voltam?
Erre is gondolok.
Mert a mai napig válogatok.
Fehér húsokat eszem, párolt zöldséget és
soksok gyümölcsöt. A kedvencem a málna.

Apámra nem haragszom, a férfiak nem képesek átélni ezeket az érzelmeket, ha álmosak, alusznak, ha éhesek, esznek, és utána szerelmeskednek, ha van kivel.

De, ha visszagondolok, engem mindig apám fürdetett, egy méteres cinkteknőben. Szappanos, félmeleg vízben dideregtem, és soha nem mondtam, hogy fázom, valahogy nem mertem, a kezével mindenhol lemosott, a fenekemet, a nyakamat, a lábamat és ott is.

A tenyere érdes volt, a lehelete elég büdös.

Miért jön Etus néni, kérdeztem apámtól, miért jön, csak álljak fel, álljak egyenesen, mondta, és megtörölt, és utána kiskanállal tejberizst kaptam, pedig már rég egyedül ettem, és éhes sem voltam. Mégis sokat ettem, sokatsokat, utána hánytam. Elmondja anyád.

De anyám nem mondott semmit, amikor Etus néni megjött, akkor sem, kendő nélkül, mezítláb álldogált az ajtóban, a szoknyája vizes volt.

Csúnyának láttam, nagy orral és őszes hajjal álldogált, és csak körmölt az ajtókeretbe.

Etus nénivel mész, itt a csomagod, mondta, már

mindent beletettem. A babát, a bugyikat és a
három ruhát.

A csomag egy szőttes átalvető volt, fekete és
piros csíkokkal, és ahogy anyám a földre tette,
minden kiborult belőle.

Hová megyek Etus nénivel?

Még sok kérdésem volt, kérdeztem egymásután,
mindegyiket többször, sokszor, mert nekem
csak a beszéd létezett, semmi más.

Hangosabban kérdeztem.

És még annál is hangosabban.

Egyikre sem kaptam választ.

Lajos bácsi már vár minket, Etus nénit és
engem. A kedves Lajos bácsi Etus néni férje.

Belefeküdtem a kiborult ruhákba, és forog-
tamforogtam, a fenekemen, hason és háton,
kitéptem a baba fejét, és köpdöstem, mindenkit.

Lefogtak, a legnagyobb erővel apám, és azóta
Etus nénit nevezem anyámnak, és apámnak
Lajos bácsit. De csak négyszemközt, mindenki
másnak Etust és Lajost mondok, így jön a
számra.

Most is így mondom, miért éppen most

játszanám meg magam. Amikor anyámra gondolok, kimegyek az udvarra, és egy rózsatövist a kezembe szúrok.

Vagy a lábamba. Ha érbe sikerül, nehezen áll el a vérzés, egyszer a mentőt is kihívta Etus.

Hogy hívják anyámat, kérdezte a tanítónéni, Etus, mondtam, de egész mondatban, parancsolta, Etusnak hívják, mondtam, így sem jó, anyámat Etusnak hívják, nemnem, a nevet mondjam elöl, Etusnak hívják anyámat.

A következő héten a franciatanárnő is megkérdezte, mindig a legjobb voltam franciából.

Hogy hívják anyámat.

Annának hívják.

Valahogy jobban bíztam a franciatanárnőben.

(Bentbent, ahol egy férfi)

HOGY HÍVJÁK ANYÁMAT, kérdezte, és azt hiszem,
ebből fakadt kezdeti ellenszenvem.
Ebből a kérdésből.
Szép nő vagyok, a nyakamnál, ott vagyok a
legszebb, de én ezt tudtam, valami újatmást,
gondoltam, valami mástszépet mondjál, valami
szépetújat, szépek a lábaim, ezt is tudtam,
mást, hátha mást mondasz, visszatartottam a
lélegzetemet.
Megkereste a legutolsó sebet, a bal karo-
mon, belül, a csuklótól nyolc centire. A
jobb mutatóujját rátette, az ujjbegyét, és

nyomtanyomta, és nem mozdultunk, néztem a karomat, nincs is seb, csak ennek a férfinak az ujja van. Attól a naptól lakom itt.

Három szobám van, de több, mert magasak, három óriási, fehér álom. Mindhárom szobában ágy és kanapé, székek is, és asztal.

Az elsőben cseresznye, a másikban dió, a harmadik szoba a legolcsóbb, itt tölgyből van minden, Lajos bácsi asztalos, nézés nélkül is látom. Szőnyeg sehol.

Elhozhatom Etusékat?

Miért hoznád ide anyádékat?

Olyan jó volna, ha látná ezt a sok szépet, a kanapé drága kárpitját, az ablakot, azt, hogy minden szoba a sétálóutcára néz.

Nem hozhattam el, de jó itt nekem.

Minden délben megérkezik, és két egész órát marad.

Márton, egynyolcvan magas, vagy kicsit annál is több. Szőke. Művész, azt hiszem, valami ilyesmi lehet. Író, filozófiatanár.

A két órát végigszeretkezzük, nincs időnk beszélgetni.

Mióta itt lakom, rendszeresebb vagyok, de szerencsém van, Márton mindent pontosan megszervez.

Hétfőn manikűr, kedden fodrász, szerdán és csütörtökön boltok, péntek délután Etusék, utána színház.

Egyedül.

Márton és még hogy, kérdezem, de a szakálla alatt összevissza rándul az arca, nem érti a kérdést, hát milyen Márton, magyarázom, mindenkinek két neve van, és a nyakkendőjét megsimogatom, a végével a homlokát érintem, kicsit a szemhéját is.

Teljesen egyformán kék, a szeme és a nyak-kendő, teljesenteljesen, boldog égszínkék.

Nem lehet véletlen ez az egybeesés, hogy a szeme is, a nyakkendő is, ennyire. A délelőtti programok mindig kétórásak, csak nyújtom a bankkártyámat, és szézámtárulj.

Nem élek vissza semmivel, pedig elég világos, bármit választhatnék, Guccit, Valentinót, Chanelt, a sofőr mindig ezekbe a boltokba visz.

És véleményt is mond, kisasszony, ez a kék, ez a vörös, a rúzsomtól kibukik, látom.

Múlt héten egy fehér Mercedest kaptam, vadiújat.

Az előtérben tüzetesen megvizsgálom magam, tetőtől talpig, mert érteni szeretném.

Megérdemlem én ezt?

Óriási tükörben látom a mellemet, két formás labda, szerintem nagy, Márton szerint tökéletes.

Balerinamozgással billegek, a hajamat a mellemre bontom, a bal mellbimbómat gondosan eltakarom, mert befelé fordul, gyűlölöm.

Márton néha kiszívja, szégyellem magam, de szédületes.

A halál körvonala, kiszívja belőlem az életet.

Egy narancs kendőt tekerek a csípőmre, és ennyi, csak nézek bele, a tükörbe, mindent külön vizsgálok, combot, kart, hasizmot. A combomon, belül, néhány szőke szőrszál, nem értem, hogy maradhatott itt.

A narancs kendőtől is megszabadulok.

Lábaimat szétfeszítem, amennyire csak tudom, spárga, félspárga, fejállás, nem is tudom.

Csak így élek, mint hal a vízben.

Tebüdöskurva, Etusnak ez a fehér Mercedes C class tette be az ajtót. Ha legalább öt-hat éves lenne, de ez új, legújabb.

Pénteken történt, azt hitte, mindent ért, pedig semmit, mindent értek, tebüdös kurva, hagytalak volna abban a gerendás vityillóban.

Nekem kezdenek hiányozni a szavak.

Az arcok, azok a pillanatok, amikor a fontos mondatok előre érkeznek, valaki kinyitja a száját, és tudod előre, vidám lesz, boldog vagy fenyegető. A mondat. És a gondozatlan, szőrös orrlyukak, azok is hiányoznak.

A tükörbe borulok, az egyik orrom éri a másik orromat, legyenek mondatok.

Márton tudja, valahogy mindent tud, tiszta nagyító a szeme.

Jó, menjek délután is a városba, menjek akárhová, menjek boltokba, vagy a szemközti parkba, mehetek csakúgy, sétálni.

Akárhová.

És hozzád is mehetek?

Szeretné, ha szőkére festetném ezt az óriási
hajzuhatagomat, gyönyörűgyönyörű.

De én veled, én veled szeretnék!

Menjek Korfura, ha szerencsém van,
delfint látok, megérintem egy delfin síkos
bőrétfarkátfejét.

De szerintem Korfun nincsenek delfinek.

Mártonnak teljesen mindegy. Menjek máshová,
menjek Tahitira. Chagall is ott festett.

Nemnem, Gaugin volt az.

Jó, menjek máshová.

De én nem, én csak ide le, én a sétálóutcára
szeretnék, a ház elé. Ennél értelmesebbnek
gondolt.

Ha akarom, menjünk holnap moziba, vagy
fagyizni, vagy irodalmi estre, jön Dragomán.

Másnap moziba megyünk, nem vár a ház
előtt, a sofőr visz oda, a mozi elé, a székeken
találkozunk.

Két egymás melletti széken. Leülök, és Márton
már mellettem ül. A jobbomon, mert tudja,
balról semmit nem hallok.

A kék Versacéja megérkezik hozzám, a jobb

orrlyukból az agyamba száll, szétterjed minden
porcikámban.
Belebogoz az őszes szakállába, mindig.
És mindig a bőre alá indulok el.
De most nem lehet, most a kezével, most az öt
hosszú ujjával távoltart. Elhúzom az arcomat,
a könyökömet is, azonnal megértem, mit vár
tőlem. Hogy ne ismerjük egymást, ezt várja.
Mű szerző nélkül, német film, jólesik, hogy én
választhattam.
Tudtam, hogy szerelmes film, és ezért.
Utánanéztem, háború és mindenféle más is
van benne, Hitler és Kelet-Németország, azt
akartam, hogy legyen valami rendes történet is,
Mártonnak. Mert én csak ebben a szerelemben
fuldoklom, mindjárt öt hónapja, engem nem
érdekel Hitler és Kelet-Németország, az egész
történetből csak ez a nagynagy szerelem, ez
foglalkoztat.
El vagyok veszve, azt hiszem, mindenem,
a hátamnyakamorromhegye, nem tudok
tájékozódni.

Egy szőke festőművészről szól a film, sármos és szerény, nem olyan, mint az én Mártonom.

Kint sötétedik, az arcok szem nélküliek, a fejek egyformák.

Minden rúzs lekopik, a szájak egy másik szájban tűnnek el, a kezek ugyanígy, egy kisebb kéz egy nagyobban.

Ezek az utcai ölelkezések az én gyomromban kötnek ki, és lüktető hullámzásban folytatódnak, rosszul vagyok.

Senki nincs a járdán.

Akkor megfoghatom a kezét, akkor hátha megfoghatom.

A kezét szeretném fogni, itt vagy máshol, házak között vagy egy réten. De nem a szobában.

Fogd meg a kezem.

A kezedetszeretnémfogni, a kezedet, a kezedet szeretném.

Nem merem kimondani.

Azt szeretném, hogy a bal kezem a jobb kezében legyen, az ujjaival érintsen, először a tenyerem közepét, utána a kézfejemet, a csuklómat, és sétáljunksétáljunk, csakúgy, az egyik háztól a másikig, és tovább, és forduljunk vissza, és újból vissza, átmehetnénk az út másik felére, maradhatnánk ezen az oldalon is, a mi oldalunkon.

Hogy a balkezemajobbkezedbenlegyen, azt szeretném.

Felvarrnám a gombját, vacsora után elmosogatnék.

Felvarrnám az inggombodat, és elmosogatnék ebéd és vacsora után, mindigmindig.

De nem merem mondani.

A bal kezemmel a jobb kezéhez érek, és Márton kilép, nagy erővel kilép, távolra.

Igaza lehet.

Író, művész vagy filozófus, ismert ember, felesége lehet és gyermekei.

Márton nem lép vissza, a kirakatban látom, nincs is már kalapom, nincs már férfi mellettem, a hajamat százfelé fújja a szél.

Milyen világ ez, ahol a nők szerelembe esnek és egyedül maradnak?

Este, miután elmegy a vacsorafutár, megértem, hogy nincsenek szomszédaim. Egy szállodában lakom, az első emeleten, a szálloda legnagyobb lakásában. Hatalmas fehér falak között lézengek, napi húsz óra mínusz négy, ennyit vagyok bent, és csak szuszogok, így mondtam gyerekkoromban. Csak nézek.

Miért nem írja az ajtón, hogy szálloda, de Márton nem válaszol, egy hónapja alig válaszol nekem, csak nyom, nyom, fentről, oldalról, mindenhonnan, én inkább hazamennék, Etushoz mennék, de azt nem lehet, szerinte megbolondulnék otthon, két öregemberrel, egyetlenegy kopott fürdőszoba és egy tizenkét négyzetméteres szoba, ennyi, és igaza van.

(Bentbent, ahol egy férfi és egy kép is, egy)

ÉN ARRA SZÜLETTEM, hogy menyasszony legyek.
Ez beteszi az ajtót, egy hétig nem látom.
Egy nap aztán mégis, a megszokott időben, és
kicsomagol egy képet. Nekem hozta.
Hálátlan vagyok és utálatos.
De szeret.
Ezt először mondja.
Elvesztem a fejem, összevissza csókolom, a
kép miatt, látom, hogy erre gondol. Mintha
érdekelne a szaros képe.
Hová tegyük, kérdezi, de nem értem a kérdést,
minden képnek a múzeumban a helye, és

ideges lesz, kitágulnak az orrlyukai, nem is
gondolom, milyen igazam van. Én nem segítek,
a ragasztószalagot elvágja, lehámozza a csoma-
golópapírt, semmibensemmiben nem segítek.
A *menyasszony ajtaja*, ez a cím.
Helen Frankenthaler, 1967.
Értek a művészethez, nem tanultam, csak úgy
rám ragadt.
Valami biztos válogatás, a bal és jobb szét-
válogatása, a szervezetem kiválasztja a szépet.
Egy szempillantás alatt beengedem, és kész,
utána mindegy, mit gondolnak és mit mondanak.
A képről.
Ha a kettő egybeesik, ünnepelek, de ez ritka.
Ez a menyasszonyos hozzám ér, azonnal, pedig
a szívem szúr, a szívem rámegy. Nem hallottam
ezt a nevet, Frankenthaler, én soha nem hallot-
tam, szóvá is teszem, kiafeneezafrankenthaler,
és Márton mondja, eddig ő sem tudta. De már
igen, ha valamit Frankenthaler fest, abból drága
kép születik. Mert értékes?
Nemnem, ez kiszámíthatatlan, egyenest a
szeszélyesbe fut.

Az érték eltávolodik a pénztől, gyakran, sokszor.
És messzemessze kerül, látótávolságon is túl,
és kész, beszippantja a teljes felejtés. Soha nem
tér vissza.
Vagy fordítva.
Hogyhogy fordítva, kérdezem, hát csak úgy,
a pénz hirtelen kifut a kép alól, és az értéket
faképnél hagyja.
És az is gyakori, hogy először szépen együtt
vannak, és egyszer csak távolodni kezdenek,
kitudjamiért, és ez véglegesen így marad.
Engem ez nem érdekel, egyáltalán nem, engem
csak a szép, csak az, hogy látom ezt az ajtót,
ahol két test, a férfi és a nő a világban, vér és
mennyország, és a menyasszony hüvelyéből a
mennyországba spriccel a sok vér.
Nekem csak ezek a formák, a színek, a színek
formákba fordulnak, a formák színekbe.
És mondatok előtt érkeznek, mindig, az
agyamba szállnak.
Elvisznek a boldog hiányba, ebbe érkezem.
A képet a hálószobába tesszük.

De telnek a hetek, és az én életemben semmi változás.

Délelőtt ittott két óra, boltokban, szépítkezős helyeken, délután megint két óra, középen két óra szeretkezés.

Kisállat vagyok, szépkisállat, sokat simogatnak.

A hálószobából rég kiköltöztem, ki nem állhatom a menyasszony szót. Én soha nem leszek menyasszony.

Idehozhatnám Etusékat?

Már egy éve itt lakom, annál is több, idejöhetne legalább Etus. A képet sem hitte el, azt hiszi, csak múzeumokban vannak ilyen képek. Nem jöhet ide, és én sem mehetek Mártonnal oda.

Már nem szeretnék felöltözni, zuhanyozni sem.

Az egyik cipőmmel megkarcolom a képet, a piros tűsarkúval. Lent, a kép jobb sarkán.

Ez az én szignóm.

Márton a képre néz, de semmisemmi.

A napok telnek, és mind kevesebbet tudok róla.

Látom, hogy nem művész, nem író vagy filozófiatanár.

De mást nem látok, minden nap megeszi és

kiszarja a nevét, a levegőből érkezik. A lábamat
tesziveszi, emeljem fel, fennebb, mégis lennebb,
nem csókol meg. Behúzom a sötétítőket, és a
földre költözöm.
Menjünk piknikezni.
Nem tudom, honnan jutott eszébe, én eddig
soha nem, én eddig csak kirándultam.
Nagyon messze megyünk, sofőrrel, kosárral és
kockás pléddel, tiszta film, tiszta giccs.
Egy pataknál találkozunk, Márton is kockás
pléden vár, és melléfekhetek. Ez nem szoba.
Szeretkezünk.

(Bentbent, ahol egy férfi
és már két kép is, kettő)

MÁSNAP MEGINT képpel érkezik, ez kisebb.
Miért nem jöttél velem, miért nem jöttél a
szállodáig? Mi mindig kétfelé indulunk, még a
kockás plédről is.
Inkább nézzem a képet, hozzám hasonlít.
Egyedül bontja ki, tudja már, hogy rá se szarok.
Fehér.
Robert Ryman, *Monitor*, 1978.
A piknikezést juttatja eszébe, jókedvű voltam
és gyönyörű.
Mindig ilyen legyek, ilyen gyönyörű, hát nem

vagyok mindig az, kérdezem, mostanában nem,
mint a fehérre meszelt sírok, olyan vagyok.
Láthatom, a kép is fehér.
Meggondolja magát, és a hajamhoz ér, visszaölel
az életbe, és én könnyen jövök, gyorsan, nézzem
ezt a festményt, ez is fehér, csak fehér, semmi
más. És milyen sok. Mindig erre gondoljak.
Én nem gondolok erre, ez nem is tiszta fehér,
ez a kép mocskos, mint a mocskos fehérnemű,
olyan, nyugodjak meg, hát mondta, hogy piknik,
hát nem ezzel kezdte, amikor bejött, rögtön
mondta, a piknikezést, azt juttatja eszébe. De a
piknik zöld és kockás.
A piknik zöld és kockás, de a piknik tiszta is,
mint ez a fehér ezen a fehér képen. Nem tudom,
hová tegyem a türelmét, soha nem ilyen, nem
is tud ilyen szépeket. Nézzem meg jobban, mi
vagyunk itt, ő és én.
Nézd csak, mi vagyunk itt, te meg én.
Én másképp látom, itt csak egy pont, egy óriási,
négyszögű pont, én ennyit látok, és ott ér
hozzánk, ahol mi soha egymáshoz.
Nem lehet ez soha te és én.

Tegye a melléhez a képet, az én fejmagasságom-
hoz tegye, nemnem, a derekához, a feje elé
tegye, és takarja a nyakát is.
A lábunk alá, a földre.
De Márton fél, hogy rálépek, nenenenene,
hatudnám, mennyi pénz. Akkor a fejéhez, mégis
a fejéhez, tartsatartsa, még, most picit fennebb.
Márton szemben áll, két és fél méterre, fekete
cipő, fekete nadrág, indigó zakó, fehér ing, és
semmi fej, nincs fej. Egy fehér négyzet van.
A kép.
Fehérre meszelt sír, kérdezem, az volnék.
A képet leteszi, és kész, újra Márton.
Csak én maradok fehér, de nemazapiknikes,
csak olyan meszelttemetős, kép nélkül is ezt a
mocskos fehér szagot árasztom.
Holnap veszek egy menyasszonyi ruhát, és azzal
szépen eltakarom ezt az egészet. Mit takarok el,
mit akarok eltakarni, felháborodik.
Ezt az én meszeltbűzölgő belsőmet takarom el,
ezt, hogy minden félórában az ablak peremén
üldögelek, és nézek lefele, találgatom, melyik
az én pillanatom. Őrült vagyok, mondja, nem

vagyok őrült, mondom, szeretném fogni a
kezed, itt van, tessék, mondja, itt van a kezem,
de én a sétálóutcán, én az üzletben szeretném.
Bolond vagyok, tiszta bolond, a békéjéből
kifordul, régóta figyel, az agyam levált a szép
testemről.

Legalább egy hónapja.

Monitor, 69 x 66 centiméter, mától közös
szobában élünk.

Én Krisztus menyasszonya vagyok.

Ő nem értheti, nem kapott semmilyen vallásos
nevelést.

Még katolikust sem.

Hanyatt fekszem és elalszom.

Amikor kinyitom a szemem, nagyon késő van,
délután négy óra, és Márton még mindig mel-
lettem fekszik.

Monitor, mondom, ez a címe, monitor, mint az ő
kocka feje.

Hát nem tiszta agyalás ez a festmény?

Megenyhül.

A mi *Monitor*unk még mindig a földön,

felkelek, és a falra szegzem fel. Két egész napot töltöttünk együtt, mi hárman.

Jó festmény, szeretem.

A nevelőapám, Lajos, asztalos. Mindenre megtanított, fúrok, kalapálok, csiszolok. Egyedül szereltem fel, hogy lássa, én nem vagyok kurva. Gyalulok, kézzel és géppel fűrészelek, és színtelen lakkot kenek a fára. A képre, a lenti jobb sarokba megint egy vonalat karcolok, megint a piros tűsarkúmmal, ez a vonal is vízszintes, csak sokkal hosszabb.

Átrendezem az életemet.

Már nem csak fehér falak és bútor, cseresznye, dió és tölgy.

Két képem is van, pedig ez nem múzeum.

A *menyasszony ajtaja.*

Monitor.

Látják egymást, és együtt kiköltöznek a falból.

Összevisszaszervezik a teret, az életemmel, a bútorokkal, ezzel az én szuszogásommal.

Amivel négyéves koromig szuszogtunk, anyám, apám és én, állandóan, reggeltől estig.

A délelőtti két órát ma kihagyom, a sofőr

riasztja Mártont, valami baj van?, Márton telefonál, hisztériázik, a délelőtti két óra jót tesz egy nőnek, de Frankenthaler jobbat tesz, és Rymen, Robert Rymen, ő is, Márton zavarba jön, kikről beszélek, kikiafenékrőlkikrőlbeszélek. Márton azt tudja, hogy van két értékes kép a szállodaszobában, saját tulajdon. Miért érdekes ez a két izé, ez a két név, miért nagyzolok, a telefont kihangosítom, hogy Márton ne ragadjon bele a fülembe, a fülzsírba, és onnan lele, a torkomba.

Ha lecsororg, vége, bennrekedek, ebben a szállodás szerelemben. Végeazéletemnek, végeazéletemnek, ezzel telik a délelőtt.

Márton is kihagyja a mai napot, én a menyasszonyos szobában fekszem, hason és oldalt, belépek a szoba ajtaján, és kész, menyasszony vagyok. Szűzszínű, vékony hártya, amiben Márton is fennakad.

Délután elmegyek a Gucciba, és egy menyasszonyi ruhát vásárolok, huszonhatezerkétszáz euró. Nem találom drágának, menyasszony vagyok.

A *Monitor* mellé újabb szeget fúrok, egy

hosszabbat, és felakasztom a menyasszonyi
ruhát.

A falon, középen, a piszkosfehér *Monitor*, mel-
lette, jobbra, az én Gucci menyasszonyi ruhám,
szépiásfehér.

És az ágy közepén én.

A szuszogásom is menyasszonyos.

Másnap újból cirkusz, hogyhogy a falra tettem
ezt a nyavalyás menyasszonyi ruhát, hogyhogy
a *Monitor* mellé, ha már vettem menyasszonyi
ruhát, hogyhogy nem *A menyasszony ajtaja* mellé
tettem, ha volna valamikisagyam, a művészetet
nem színek szerint szortíroznám.

Én Mártonra nézek, és ő elmegy.

Megbánom, nagyon bánom.

Éjszakára átköltözöm *A menyasszony ajtajá*hoz,
alája.

Márton, Márton, nyögöm egész éjszaka.

Fogd meg a kezem.

Másnap is itt vagyok, lent, a földön, *A meny-
asszony ajtajá*nak a küszöbén, Márton rám
fekszik és mellém, kedveskedik, vezethetem
a kocsit, a Mercedest, de én nem akarom,

körbecsókolja a nyakamat, de nem izgat fel,
elmehetünk piknikezni, és engem ez idegesít
leginkább, még Etuséknál az udvaron is jobb,
mint azon a kurva kockás pléden.

Nekem adja valamelyik képet, nekem nem
kell, egyik sem kell, vigye csak a múzeumba, és
kapok egy pofont.

A menyasszonyi ruhát kérem.

Szerdára újból mozit ajánl, látom, bátorság
és fantázia nélkül él, a mozinál tényleg nincs
tovább.

Elmegyünk moziba, semmi új, találkozás a
székeken, és a hatalmas mozivászon, azt sem
tudom, milyen filmet nézek.

Megfogja a kezemet, amikor tiszta fekete a
moziterem, akkor, a sötétben, megszorítja és
gyorsan el is engedi.

A mozi után az autó messze visz, repülünk-
repülünk, kiszállunk, és megint. Megint fogja
a kezemet, örülsz, kérdezi, örülökörülök,
mondom, nagyon örülök, kimondom, és
észreveszem a szeméttelepet, a szemétte-
lep mellett vagyunk, a világvégén, én itt

csókolóztam először, mindegyhogykivel, ide
jöttünk, hogy Etus ne tudja meg.

Örülsz már?

Nem tudok válaszolni, és a táskámban nincs is
zsebkendő.

Tebőgőmasina, az arcomat, taknyomatnyálamat
letörli, tedrágabőgőmasina, azt hiszi, életem
pillanata ez.

Mindig a következő napot kell túlélni, és
minden napban a következő órát. Erre figyelek,
és hosszú ideig nincs is baj velem, legalább
egy hónapig. Visszaáll a rend, délelőtt két óra
kint, délután is, délben két óra szeretkezés, és
pénteken Etusék.

A festményekkel élek.

Az ágyat naponként tologatom, A menyasszony
ajtajától a Monitorig, és vissza, a távolság csekély
és a parketta csúszós, könnyen megy.

(Bentbent, ahol egy férfi
és három kép is, három)

MÁSFÉL ÉVE KÖLTÖZTEM IDE, számon tartom.
Mit kívánok az évfordulóra, most, hogy azt
mondom, már másfél éve. Most, hogy ennyire
képben vagyok.
Még egy képet, szeretnék még egy képet?
Én igent mondok.
Innentől számítom az igazi boldogságot.
A képek sokasodnak, és bármi történik velem,
tudom, hová mehetek. Egy óriási képet kapok,
óriásit, beborítja a nappalim falát.
Újra egymás felé, Kelly Ellsworth, 1959.

Ránézek, és semmi nem biztos, lehet, hogy
egymás felé, lehet, hogy nem, lehet, hogy üzenni
akar nekem ezzel a címmel, lehet, hogy átverni.
Azt mindenesetre láthatná, hogy szinte egy-
formák ezek itt ketten, ezek, akik újra egymás
felé. Színreformáranagyságra, mindenre, de a
nagyság, ez a legfontosabb.
Ezt mutatnám Mártonnak, ha egyet
választhatnék.
A bal oldali forma nem gömbölyded, egy kicsit,
a jobb oldali bezzeg mell és hold, látom, jobban
is örül ennek az egésznek.
Hogy újra együtt.
Férfi és nő, Márton mindig a szerelemről üzen
nekem valamit, mert beszélni nem tud róla.
Én mindig így képzeltem a szerelmeskedést, egy
nő és egy férfi puhán kanalazza egymást.
Mindketten ugyanannyit kapnak abból a finom-
ból, a tejből és mézből, és tejjelmézzelfolyó föld
lesz, egy picikepicike ház.
De nem ugyanannyit adnak, ebben biztos vagyok.
És nem is fontos, mert a méz csak folyikfolyik,
tovább.

Látod, milyen hosszú ideig tart?
Mi tart hosszú ideig, nem érti, miről beszélek,
hát a szerelem, látod, ott középen, ahol ez a két
féltojás megérinti egymást és átmelegednek, a
tej és a méz teljesen összekeveredik.
És soha örökké nem lesznek már külön.
Ritkán megyek a képes szobába, A menyasszony
ajtaja és a Monitor nélkülem is nagy életet élnek.
Ha Márton ideges, ide lépek, a kép elé, és
hangosan olvasom a címet, Újra egymás felé.
Ha megérkezik, és csókolózunk, Mártont
gyöngéden ide vezetem, ha elválunk, ide jövök
vissza, ha becsapja az ajtót, hasra fekszem, a kép
alá, és zokogok, ha az ajtóból még viszanyúl,
amikor pedig becsukta félig, és onnan is, kintről
is, még mindig a bugyim után kajtat.
Akkor is visszaidegyorsan, a kép alá.
Akkor hanyatt.
Három egymásutáni nap rám csapja az ajtót,
kedden, szerdán és csütörtökön. Nem értem,
hogy ő fontos ember, nem időmilliomos.
A képhez rohanok, és belekarcolok a szerelmes
pontba, rég a levegőben lógott ez a kör.

Most nem vonalat karcolok, most egy kört, a
kép közepét karikázom be, fogságba ejtem az
érintést. Azt a kicsi területet, a nő és a férfi érintését,
ahol azt hiszik, hogy együtt. Hogy beszippantják
egymást, és megérkezik a tejjelésmézzelfolyó
másik, és jön a zuhanás.

De nem jön, nem egymásba zuhannak, mindig
csak kifelé, kiki, kiesnek a világból, a világelőtti
tengerbe, szakadékok mellé.

A piros tűsarkúmmal karcolok a képbe, nem
sikerült valami szabályosra.

Fogd meg a kezem.

Erről a festményről is ez jut eszembe, mindig-
mindig ez. Szép lassan kikopok ebből a szobából,
néhány hét, és kész, csak akkor jövök ide, ha
pont erre a színre, a feketefehérre vágyom.

Nem mondtam, ez a kép feketefehér.

A világ fekete, benne a nő fehér, a férfi is az,
és temérdek lehetőség áll előttük. Elmenekül
a férfi, vagy a nő menekül el, a nő abbahagyja,
vagy a férfi, a férfi elhagyja, a nő hagyja el, a
világba menekülnek, vagy nemnem, ki a világból.

Mindketten el. Nem nehéz kiszámolni, még én is ki tudnám, pedig soha nem voltam kockafej. Az utolsó lehetőség, hogy mindketten maradnak. De ilyen nincs, a szerelem egy pattintásra jön és megy, mint a levegő.

Mostanában főzök, és a takarítást is én végzem. Mindig egyfélét készítek, levest vagy valami második fogást. A sűrű leveseket szeretem és a könnyű másodikokat, párolt zöldség, grillezett húsok, semmi semmi lisztnemű.

Márton aggódik, olyan leszek, mint a háziasszonyok, nehogy, a bőrömbetestembe beleköltözik az egész konyha, a szép nők valahogy nem erre születtek. A *menyasszony ajtajá*hoz rohanok, és megmutatom, mire születtek a szép nők. Hogy menyasszonyok legyenek, arra.

Hogy bemenjenek ezen a menyasszonyos ajtón és főzzenek, takarítsanak, és megtartsák a vőlegényt.

A vőlegényt nem lehet megtartani, mondja Márton, az egész vőlegénység huszonnégy óra, annál is kevesebb, és egyszerű férfi lesz belőle,

hát perszepersze, rosszul mondtam, a férfit
kell megtartani.

De a férfit hogy lehet megtartani, a férfit soha
nem lehet!

Dede, a nő gyermeket szül, és magához láncolja
a férfit, én tudom. Márton megsimogat, kicsi-
buksi, aki vagyok, nem tudom, mit beszélek.

Nem tudod, mit beszélsz, még mindig nem,
pedig már felnőtt vagy, már huszonhárom éves.

A férfit sosem lehet.

Nézzem meg őt.

Nem most értettem meg ezt az egészet.

Már a moziban tudtam, már előbb, amikor
a Mercedes C classban ültem, hátul, a sofőr
mögött, és kinéztem az ablakon, fehér kesztyű-
ben, Jackie Kennedy-s napszemüveggel és piros
tűsarkúban.

De én nem vagyok Jackie Kennedy, én nem végez-
tem egyetemet. Tudtam, hogy minden sántít.

Etusékhoz sem járok hetek óta, kitiltottak,
telefonon jelezték, hogy soha többé. Rögtön
felkerestem a vér szerinti anyámat, Annát, már
másnap. Régóta akartam, mindigis, de nem

lehetett, előbb Etusék miatt, ne legyek hálátlan,
gondoltam, ha már felneveltek.

Amikor büntettek, csak mondtákmondták, ne
legyél hálátlan, mindent megkaptál, ne legyél
feledékeny, és engem reggeltől estig emésztett,
feledékeny rongybaba vagyok, hálátlan kutya.

Pedig felneveltek.

Aztán jött ez a szerelem, és azóta éjjelnappal
Márton után kapkodok. Partra vetett hallá
váltam, a szám tátva, a bőröm kilyukadt, levegő
helyett is csak őt, Mártont.

Arra is gondolok, hogy ez a vergődés a gyönyör-
rel érintkezik, és ebből ez a nagy egyformaság,
halál és gyönyör, halálgyönyörhalál, nem lehet
szétválasztani. Édeskicsidrága, miért karcoltad
meg azt a sok drága képet?

Csak három kép van, nincs sok kép.

És azt a hármat, azt miért?

A térde az arcomban, kétszer, háromszor, az
arccsontombanazállamon, nenene, kérlekne.

Én nem is tudom, miről beszélsz, én egyál-
talán nem.

Nem tudom, miről beszélsz.

Semmi nincs véletlenül, mióta Etus, a második anyám, kitiltott a házból, azóta csak erre gondolok.

Mondtam már, rögtön Annához vitettem magam, Anna a kapuban álldogált, és engem várt.

Az apám rég meghalt.

Etusék négy éve szóltak, két órával a román érettségi előtt.

Meghalt a vér szerinti apád, elvitte a rák, és én ezzel el is felejtettem az egészet, azt hittem, teljesen elfelejtettem mindent, a vér szerinti apámat, a vér szerin ti anyámat is, Annát, a szomszédokat, az egész falut, a fürdető teknő vize mindentmindent elvitt.

Hogy hívták a vér szerinti apámat, kérdeztem Etust, de nem mondta meg, hát nem mindegy már, ennyit mondott, úgyis meghalt.

Az érettségin Mihail Sadoveanut kaptuk, a szereplőket kellett tennivenni, de én csak apámat, a vér szerinti apámat gyömöszöltem errearra, előbb a jó apákhoz, nem odavaló volt, utána a rosszakhoz, oda sem, végül kint

maradt, a két padsor között, és fulladozott, hol
a helyem, hol a helyem.

Az érettségim hála Istennek sikerült.

Mióta Etus kitiltott, visszatért az első életem.

Annával bundáskenyeret eszünk, az asztal
ragadós, tapad, mint a méz, a padló és minden,
miért élsz itt egyedül, kérdezem, miért nem egy
szép öregotthonban.

Mert a ház meghal egyedül, a falakat támasztani
kell, minden oldalról, nappal belülről kell,
éjszaka kívülről, nem marad semmi szabad idő.

Nagyon jó itt neki.

A teámat kitöltötte, a zsírt is, a tepsibe,
felverte a tojásokat, a legnagyobbal kezdte,
és így tovább, legalább négyet ömlesztett a
tányéromba, én egyedül megettem.

Közben simogatott.

Hogy szólítsalak, mert nekem ez életbevágóan
fontos, nekem tudnom kell, de ő nem tudta.

Szólítsam anyának. Vérszerinti anyámnak. Vagy
szólítsam Annának. Mindig keveset beszélt.

Azért megvagyok.

Ha nehezen, visszaállítom a kimenős

programokat, délelőtt és délután is, ha még nehezebben, újra leállok mindennel, a képekkel vagyok és kész. Ha pedig semmisehogy nem megy, beülök a Mercedesbe, és Annához vitetem magam.

Már négyszer voltam.

(Bentbent, ahol egy férfi és
három kép is, három, és énmagam)

MA DÉLBEN EGY csomaggal érkezik Márton,
megint egy kép, már az előtérben lehámozza a
kartont, és a legbelső szobába tart.
Ahol nincs még kép.
Rögtön látom, hogy én vagyok az, a képen én
vagyok.
A festményt a szoba közepére teszi, állunk, és
nézzük, én a képben fekszem, a szoba közepén.
És a szoba közepén állok és nézek magamra.
Alattam a sok barnás kartonpapír, érdes,
Márton sem ér semmihez, nem is mozdul.

Ő is látja a csodát.

A kép síkjában csak mosolyogok, valahogy
úgy, mint Mona Lisa, mindenkire egyszerre,
Mártonra, magamra, a bútorokra.
Leginkább a plafonra.

A szemünket összetesszük, én és én, az álló
én és a fekvő, mosolyog és zokogok, zokog és
mosolygok, összekeveredünk.

Melyik vagyok én, mosolygokvagyzokogok?
Mosolygokvagyzokogok.

Letérdepelek, látod, magam mellett kuporgok,
látod Márton, és Márton látja. Márton végre
szerelmes.

A címet mondd, a címet, *Önarckép*, suttogja
Márton, a festőt mondd, Paula Modersohn-
Becker, hát ez az, látod, ezazezaz, én vagyok
ő, és ő én, én és én, és a képet a lábam közé
veszem, mintha pisilnék.

Márton is látja, hogy itt nem erről van szó,
nem pisilésről, én csak védelmezem ezt az
*Önarckép*et. Éppen valami csodában vagyunk
benne, mostmost történik. Nem félünk.

Tovább térdepelek a kép fölött.

Vigyázok rá, több bántást nem bírna ki.

Márton elvezet az *Önarcképtől*.

Nem ismert kép, csakcsakcsak nálam látható,
egyedül nálam, albumokban egyáltalán.

Mióta megérkezett az önarcképem, mindenféle
albumot vásároltam erről a korszakról.

Sehol nem szerepel, hát nem is szerepelhet,
mert én vagyok ez a festőnő. Elmondom, milyen.
A hajam hátrafogva, minden porcikám szelíd,
kívülbelül, még a blúzom is. Te élhetetlen, ez a
második anyám mindig ezzel nyomasztott, te
élhetetlennyimnyámtoporgó, és a képen tényleg
ilyen vagyok, minden veszély az arcomba ér. A
ruhámarcomszememhajam barna, egyedül a
nagy szemű gyöngy és a gyöngyön függő növény
feketés. A növényen öt levél, mint az arcomon,
orr, száj és két szem.

Paula Modersohn-Becker, keskeny téglalap, 61 x
31 cm.

Nem szegezem fel a képet, nem szegezhetem fel
önmagamat a falra.

Márton, újra kellene tanulnom a festést.

És beleegyezik, jövőre a képzőművészetire
felvételizem, megígéri, még tanárt is fogad.
Értek a művészethez.
Jobban is alszom, megszépültem, frissítem a
gardróbomat is, hát muszáj, három hónapja
semmit nem vásároltam.
Az életem mindenestől célba érkezik, ezt érzem.
De jön a szombat, és megint összezavarodom.
Annától jövök, ma is bundáskenyeret ettünk.
A zárat elfordítom, és Márton áll a szobában,
A menyasszonyos ajtóba gabalyodik, orral nézi,
közelrőlközelről.
Pedig szombaton soha nem jön.
A körmödet mutasd, és én mutatom, a bal
kezemen két körmöt letör, miért csináltad,
miért rongálod ezeket a képeket, te tyúk, hát
mindenkinek vannak rossz napjai, mondom,
nekem sok van belőle, de a rossz napok nem
kerülhetnek ennyi pénzbe, ha még egyszer,
hamégegyszerhamégegyszerhamég.
Kinézek az ablakon, nézek.
Nem hagyom, hogy lyukat üssön

bennem szomorúság vagy balsejtelem. Márton szerelmes, olyan, mint egy vőlegény.

A *menyasszonyos ajtó*hoz vetek ágyat, és álmodok is.

Hogy valaki a nyakamra ül, és mélyremélyre nyom, a nyakamramindenemre ránehezedik.

Feketében van és maszkban.

Segítségsegítség, most, hogy végre minden jó, szinte minden. Most mit akar ez itt.

Mit akar velem, segítség, valakivalaki jöjjön, ordítanék. De nem ordítok, elhagy a hang, és minden erő.

Nem álmodom.

A fordító előszava

Aránylag ritkán fordított nyelvekből tolmácsolok angolra, ezért gyakran javasolok szerzőket, illetve műveket kiadóknak és folyóiratoknak, abban a reményben, hogy ezúton magyar vagy román szövegek is helyet kaphatnak a kiadványaik között. Az angolra fordított irodalmi szövegek aránya továbbra is mindössze néhány százalék körül mozog, ugyanis kiadói szempontból egy angol nyelvterületen viszonylag ismeretlen szerző— rizikót jelent. Egy neves szerzőnek rendszerint nagyobb esélye van arra, hogy felfigyeljenek a munkájára, a korábbi sikerek és az olvasók széleskörű érdeklődése a kiadók fókuszába helyezheti a szerzőt, és az esély csak növekszik, amennyiben a szerzőt már további nyelvekre fordították. Hiszen egy másik befogadó kultúra már kezességet vállalt a műért.

Mátyus Melinda ilyen értelemben több okból is kivételt képez. Elősorban, mert viszonylag frissen jelentkezett az irodalom terén, több évtizedes lelkészi pályafutás után. Ez a kései kezdtet azonban—úgy tűnik—nem jelent hátrányt, hiszen olyan kifinomultan, megrendítően és sürgetően ír, hogy azonnal a kortárs magyar irodalom élmezőnyébe került. Másodsorban, még nem jelentetett meg önálló kötetet (első szépirodalmi gyűjteménye előkészületben van), bár sok fontos irodalmi folyóirat közölte írásait és több irodalmi díjjal jutalmazták. Harmadsorban, ez a kötet Mátyus munkáinak legelső fordítása idegen nyelvre, ami azon túl, hogy bemutatja a szerző ritka tehetségét, azzal a szándékkal (is) készült, hogy felhívja a figyelmet a kreatív kockázatvállalás példamutató jellegére, amiért mind a szerző, mind a fordító hálás az Ugly Duckling Presse kiadónak.

Mátyus Melinda írásait a kortárs magyar irodalomba való naprakész betekintést nyújtó *Látó* és *Jelenkor* folyóiratok révén fedeztem fel. A színház iránti érdeklődésünk a másik közös pontunk, együttműködésünk egy rendhagyó világjárvány-kori színpadi produkció kapcsán kezdődött, az előadásról szóló kritikáját a *World Literature Today*[1] számára fordítottam le. Ez a recenzió—a szerző prózájához hasonlóan—kerüli a szigorú műfaji konvenciókat, ehelyett egyedi meglátásokra és egy nagyon sajátos nyelvtani érzékre összpontosít. Ebben a tekintetben egyetértek Vida Gábor nézetével, miszerint „Mátyus Melinda a kortárs erdélyi és magyar próza legeredetibb és ma talán az

---

1 "The Tragedy of Timişoara, by Melinda Mátyus," *World Literature Today*, February 9, 2021, https://www.worldliteraturetoday.org/blog/culture/tragedy-timisoara-melinda-matyus.

egyetlen formabontó alkotója, aki nem az irodalomelméleti kurzusok nevében szabja mondatai szélét és hosszát, hanem a maga tempóját és ritmusát viszi rá a nyelvre és az elbeszélendő tárgyi és főként lélektani valóságra". Az első látásra talán távolságtartónak tűnő narratíva ellenére, a szerző teljes mértékben elmerül a szereplők világában és az olvasmány egyszerre lebilincselő és felkavaró. Így hát előfordulhat, hogy több olvasatra lesz szükség ahhoz, hogy a látszólagos egyszerűség mögött rejlő árnyalatok feltárulkozhassanak.

Fordítás közben szem előtt tartom a nyelvek közti dialógust, mindkét kultúrának egyenlő feltételeket szeretnék felejánlani. Nyilván támogatom, sőt célom az angol nyelven való olvashatóság, de nincs szándékomban álcázni az eredeti írás egyediségét és azt sem titkolom el, hogy műfordításról van szó. Emiatt sokkal rugalmasabban kezelem a mondatszerkezeteket mint az angol nyelvű prózában szokás, illetve az olvasókat a nem szokványos nyelvi fordulatokat

kiváltó helyzetek felfedezésére hívom. Mátyus
viszonylag rövid és tömör mondatokban
ír, szövegei szimmetrikus felépítésűek,
miközben váratlan fordulatok bukkannak elő.
A bonyolultabb, összetett szerkezetek ezekben
a szövegekben rendszerint valamilyen helyzeti
változást vagy érzelmi zűrzavart jeleznek.
Szándékosan megtartottam az ilyen jellegű
strukturákat az angol verzióban is, ahelyett, hogy
a célkultúra szempontjából nézve világosabb
(azaz rövidebb) mondatokra bontottam
volna. Nem utolsó sorban, megőriztem a
már-már védjegynek számító nyomatékos
ismétléseket—például a kötet címét is kölcsönző
Életeméséletem esetében—a szerző habitusa
iránti tiszteletből és abban a reményben, hogy
ezáltal kíváncsiságra sarkallhatom a továbbra
is nyitott olvasókat. A fordítás során próbáltam
hű maradni az eredeti szöveg jelentéseihez
és regiszteréhez, anélkül, hogy feltétlen
egyenértékűséget vagy a lehető legközelebbi
megfeleltetést kerestem volna. Ideális esetben

sikerülta harmónia érzetét keltenem, és Sophie Hughes szavaival szólva „játékos egyensúly elérésére törekedtem az egész mű folyamán, egy izgalmas és igenis örömteli egyensúlyra a különböző lojalitások között, legyen az értelem, szándék vagy stílus."[2]

—*Jozefina Komporaly*

2   Sophie Hughes, "The Art of Translation," *The New York Times*, July 10, 2023, https://www.nytimes.com/interactive/2023/07/07/books/literature-translation.html?fbclid=IwAR1xgoUAr_wp5fHs1FAwAMYo6-_WUbr7YJd5FloKecDogQBkEmlo2-y8HcY.

Utószó

H a Nietzsche ma élne, a *Vidám tudomány-*
ból elhíresült „esztelen embere" (*Der Tolle
Mensch*) alighanem azt kiáltozva futkosna végig a
várostereken, fényes nappal lobogó lámpásával,
hogy „*A szerelmet keresem! A szerelmet kere-
sem!*" És amikor a kávéházak népe gúnyolódni
kezdene, hogy ugyan mi történhetett a szere-
lemmel, talán föld alatti gödrökbe bújt vagy
hajóra szállt és lakatlan vidékek felé vette útját,
ordítva válaszolna: „*Mi öltük meg—ti meg én!
Mindannyian a gyilkosai vagyunk.*"

Mátyus Melinda leheletfinom írása a szerelem eltűnésének poétikus, precíz és alig elviselhető krónikája. Különös súlya a kíméletességében és porcelán törékenységű karakterében rejlik. Pilinszky János, a Ted Hughes kiváló fordításainak köszönhetően angol nyelvterületen is olvasható magyar költő írja egyik szép esszéjében, hogy Mozart tévedhetetlen tudással mutatott rá az ember sebére, de tapintatosan vissza is húzta az ujját. A szenvedésre mutatni, a szenvedés stációit leírni fájdalom okozása nélkül vajon lehetséges-e? A poézis, a nyelv, ami lényege szerint az idő artikulált hullámzása, jelentéssel bírja felruházni a magát értelmetlennek, vak véletlennek mutató életeseményeket, és ránk helyezi történetünk elmondásának, mások története befogadásának a feladatát.

Egyedül ez, önmagunk megosztásának feladata tesz emberré bennünket, semmi más.

Olvasatunk szerint a szerelem eltűnésének kérdése áll Mátyus Melinda elbeszélése centrumában. A felvetést maga a cím is leplezetlen nyíltsággal bejelenti: *Életeméséletem.* A metonímia minimalista gesztusa két azonos szónak változtatja meg az értelmét, lehetetlen és semmivel sem helyettesíthető választásként tüntetve fel egy fiatal nő életének a beteljesülését. A cím különös licenciája—a szavak egybeírásának jelentésmódosító stílusalakzatával gyakran él az író az elbeszéléseiben!—egyszerre értelmezhető logikai konjunkciónak (összekapcsolásnak) és diszjunkciónak (szembeállításnak). Ezzel az egyszerű, „matematikai" gesztussal hívja fel a figyelmet arra, hogy az előttünk álló választások korunkban bizony megszűntek valóságos alternatívák elé állítani bennünket. A megtévesztést az okozza, hogy a választás előtt a szerepek és a pozíciók már jórészt eldöntöttek: egyikünk sem születik bele a világba történet nélkül; születésével senki sem lép be a saját szabad lehetőségei nulla-szituációjába. Amint kitárul előttünk a világ kapuja, máris ránk helyeződik a szüleink és szüleink szüleinek, a tágabb értelemben vett közösségünk története, a család „kis", valamint a történelem „nagy" elbeszélései.

Valamennyi érintés, hang, ütés, simogatás, kimondott szó és kiáltás saját lelkünk mintázatává válik.

Figyelemre méltó, hogy Mátyus Melinda elbeszélésében a férfiszereplőnek van neve— Márton—, de nincs története, a női szereplőnk viszont névtelen, mégis történetének a részévé válunk: bántalmazó családi körülmények közül „menti ki" az anya (a saját férje kezei közül) és adja örökbe egy rokonának, mert csak így látszik lehetségesnek a Névtelen Lány tudatlan vagy szándékos megalázásának titokban tartása. A lemetszett, az emlékezésből kirekesztett saját történet, bármilyen véres is, nem megváltás, a titok ugyanis nagyra nő, a legváratlanabb pillanatban ránk veti magát és menthetetlenül szétmarcangol bennünket. A történethiány, a Mártoné is, folyamatos fenyegetés forrása.

A történet nélküli Márton kisajátító és tárgyiasító „szerelmével" mintha pusztán csak a Halál Angyala funkcióját látná el a történet alakulásában, aki mintegy véghez viszi a Névtelen Lányra kimondott halálos ítéletet. Márton a fiatal nő kisajátítását körültekintően „civilizálja", sőt a méregdrága eredeti műalkotások megvásárlásával még a kulturális térbe is mintegy elhelyezi kitartottját, így teszi a gyilkosságot az önmagával szembesülni képtelen civilizáció észrevétlen és folyamatos rítusává. Szédületes metafora, még a tekintetünket is képes megváltoztatni, ha szerencsénk van.

A kitartó és a kitartott közötti olajozott működést a lány fiú iránti szerelme, a feltétel nélküli kötődés teszi lehetetlenné. Azt mondhatnánk, amolyan reflektálatlan, a boldog véget erőltető Hollywood-dramaturgiához nyúl a szerző, de éppen az ellenkezőjéről van szó. Nézetünk szerint sokkal inkább egy Antigoné-szituációt épít fel az írás, egy olyan konfliktust tehát, amelyből csak a katasztrófa, valamiféle esszenciális összeomlás vezetheti ki az olvasót. A boldog végben, azaz az igazságosság színre hozásának jótéteményeiben, nem a szereplőink, hanem a önmagát felismerő olvasó. A kitartó és kitartott közötti viszonyt szabályozó rítusok a luxus világában realizálódnak, a Névtelen

Lány idegensége pedig akkora erővel bontja le a személytelen működés mechanizmusát és a szenvedést tapintatosan elrejtő építményt, hogy csak a görög tragédiákban tapasztalhatunk hasonlót. Nem moralizál—hiszen akkor az okot cserélné fel az okozattal—, hanem hiteles önazonosságát megoszthatónak és befogadhatónak érzékeli. Valami olyasmit képzeljünk el, mintha egy pornófilm forgatása alatt a pornósztárok egyik pillanatról a másikra valóságosan beleszeretnének egymásba. Mi történne, ha ott, abban a pillanatban fölismernék saját valóságos lényüket a másikban, és odahagyva tárgyasságukat belépnének közös életük tökéletes valóságába. Bizony beállna a katasztrófa, egy csapásra lehetetlenné válna a forgatás, nevetségessé válna a tökéletesen működő, a semmi ügyében szolgálatot teljesítő rabszolgapiac.

Az *Életeméséletem* erre a lehetőségre hívja fel a figyelmet, a maga szelíd, a zenei megszólalással határos, rendkívül érzéki nyelvével. Hogy tudniillik mindig létezik egy rés, alig észrevehető repedés, ahonnan fény árad ki: a saját életünk megragadásának egyedülálló esélye. Mint Kafka A *törvény kapujában* című elbeszélésében.

Egyetlen kapu áll előttünk is, a mienk, és egyetlen lépést kell megtennünk, hogy belépjünk rajta, semmitől sem félve, hogy elkezdődjék az életünk. A Névtelen Lány átlépi a küszöböt—helyettünk. Nem számol botrányos helyzetével, engedi, mint Júlia vagy Antigoné, hogy a mindenestől fogva szubverzív tisztasága tegyen igazságot velünk és bennünk.

Amennyiben kitesszük magunkat az olvasás transzformatív erejének, a fájdalommentes önfelszámolás civilizációjának üzelmei egyetlen érintésre is képesek összeomlani.

—*Visky András*

UGLY DUCKLING PRESSE

ISBN 978-1-946604-19-4

Ugly Duckling Presse
The Old American Can Factory
232 Third Street #E-303
Brooklyn, NY 11215
www.uglyducklingpresse.org

Melinda Mátyus

MyLifeandMyLife

tr. Jozefina Komporaly

Ugly Duckling Presse

(Insideinside, with two mothers)

I HAVE NO IDEA about my role in this, I have no
idea what the problem was.
Was I ugly or only ill-natured, or just didn't
really sleep and this drove her round the bend?
Or was there some secret I'm not privy to?
I was four, when she gave me away to this
second mother of mine.
I'm also wondering whether I wasn't perhaps
too much of a wimp.
After all, I'm just as picky to this day.

I only eat white meat, steamed vegetables and loadsandloads of fruit.

Raspberries are my favorite.

I don't resent my father, men aren't capable of experiencing such emotions, they sleep when they are sleepy, eat when they are hungry, and then make love, provided there is someone suitable at hand.

* * *

Yet, if I look back, it was always my father who'd give me a bath, in a large zinc basin. I'd shiver in this lukewarm soapy water, and would never say that I was cold, somehow, I didn't dare, he'd always bathe me with his hand, my bottom, my neck, my feet, even down there. His palm was rough, and his breath foul-smelling.

Why is Aunt Etus coming, I asked my father, why is she coming, just stand up, stand straight, he said and dried me, after which he spoon-fed me some rice pudding, even though by then I was

able to eat by myself, and wasn't at all hungry.
Still, I ate a lot, alotalot, and then threw up.
Your mother will tell you.
But my mother didn't tell me anything, neither
then, nor when Aunt Etus arrived, she just
stood barefoot in her wet skirt in the doorway,
not even wearing a scarf.
I found her ugly, with a large nose and greyish
hair, and she was just standing there, scratching
the door frame.
You'll go with Aunt Etus, here's your stuff, she
said, I've packed everything up for you.
My doll, my knickers and my three dresses.
My stuff was bundled into a woven haversack in
black and red stripes, and as soon as my mother
placed it on the floor, it tipped over.
Where am I going with Aunt Etus?
I had many other questions, and asked these,
one by one, several times, many times, because
the only thing that existed for me was speech,
nothing else.
Then I asked my questions louder.
And even louder.

I got no response to any of them.
Uncle Lajos is already waiting for us, Aunt
Etus and myself. This nice Uncle Lajos is the
husband of Aunt Etus.
I threw myself on top of the clothes tumbling
onto the floor and kept tossing and turning, on
my bum, my belly, my back, I yanked off the
doll's head and started spitting at everyone.
They quickly restrained me, especially my father,
and ever since then, I've been calling Aunt Etus
mother and Uncle Lajos father. I've only been
doing this when amongst ourselves though,
in front of everyone else I call them Etus and
Lajos, this tends to come naturally to me.
I still keep calling them this way, why should I
fake it now.
Whenever I think of my mother, I go outside
and poke a rose thorn into my hand.
Or my foot. In case it hits a vein, it's really hard
to stop the bleeding, once Aunt Etus even had
to call an ambulance.

* * *

What's the name of your mother, my teacher asked, Etus, I replied, answer me in full sentences, she bade me, she is called Etus, I said, still not good, my mother is called Etus, nono, I should start with her name, Etus is the name of my mother.

The next week, my French teacher asked the same, I've always been the best in class at French. What's the name of my mother.

Her name is Anna.

Somehow, I trusted the French teacher more.

(Insideinside, with a man)

WHAT'S THE NAME of my mother, he asked, and I
think this was at the root of my initial dislike.
This very question.
I'm a beautiful woman, my neck, that's my best
bit, but I already know that, say something
elseandnew, I thought you should say something
elseandnice, something niceandnew, my legs are
nice, I also knew that, something else, maybe you
can say something else and I held my breath.
He found the latest wound, on the inside of my
left arm, eight centimeters from my wrist.
He placed his right index finger on it, the tip of

his finger in fact, and presseditpressedit down,
we stood still and I kept looking at my arm,
there's no wound, only the finger of this man.
From then on, I've been living here.
I have three rooms, but they feel more spacious
because they have high ceilings, three huge
white dreams.
In all three rooms, there's a bed, a sofa, some
chairs and a table.
The furniture in the first room is made of cherry
wood, in the second of walnut and in the third
of oak, which is the cheapest, Uncle Lajos is a
carpenter so I can tell this without much looking.
There's not a single carpet in sight.
Can I bring Etus and Lajos with me?
Why would you want to bring your mother?
It would be so good for her to see these
beautiful things, the expensive upholstery, the
windows, the fact that every room looks out on
the promenade.

* * *

I couldn't bring her, but being here suits me.
He makes an appearance every single day, at
noon, and stays for two whole hours.
Márton, oneeighty tall, or perhaps taller.
Blonde.
An artist, I think, something of that ilk. A writer,
who teaches philosophy.
We make love the whole two hours through, we
have no time to talk.
I've become more organized since I got here,
but I'm in luck, Márton takes care of everything
in terms of planning and organization.
On Monday, I have an appointment with the
manicurist, on Tuesday with the hairdresser, on
Wednesday and Thursday I go shopping, on Friday
afternoon I visit Etus, then head to the theater.
On my own.

* * *

Márton who, I ask, but his face twitches under
his beard, he doesn't understand my question,
which Márton, I explain, everybody has two

names, and I stroke his tie, touching his fore-head and eyelids with its tip.

They are the same shade of blue, his eyes and tie, theexactsame cheerful sky blue.

This can't be a coincidence, to have the same shade of blue for both eyes and tie.

These morning appointments are always two hours long, I just hand over my bank card and opensesame.

I don't take much advantage of the situation, though it's obvious that I could chose pretty much anything, Gucci, Valentino, Chanel, as the chauffeur takes me to these stores all the time.

He volunteers his opinion, as well, miss, this blue, this red, I can see that he's turned on by my lipstick.

Last week, I received a white Mercedes, a brand new one.

* * *

In the hallway, I do a thorough check from head to toe, because I'd like to understand.

Do I deserve all this?

I examine my breasts in this huge mirror, two shapely balls, I find them large, but Márton claims they are perfect.

I'm teetering in ballerina moves, I let my hair down to cover my breasts, especially on the left because I hate my inverted nipples.

Márton tends to suck them at times, I'm a little ashamed to admit that this is absolutely dazzling. The contours of death, he sucks the life out of me.

I wrap an orange scarf around my waist, and that's that, I just keep staring into the mirror, checking everything out one by one, my thighs, arms, abdominal muscles. On the inside of my thigh, I spot a few blonde hairs, I don't understand how they could have possibly been left behind.

I get rid of the orange scarf.

I spread my legs as wide as I can, and do the splits, half splits, headstand, and whatnot.

I live like a fish in water.

* * *

Youbloodywhore, this Mercedes C-class was the match in the powder barrel for Etus.

If it were at least five or six years old, but it's brand new, the latest model.

This happened on a Friday, she thought she understood everything, but she didn't, it's all clear to me, you bloodywhore, I should have left you in that wooden shack.

I've started to miss words.

Faces, those moments when important sentences just crop up in advance, somebody opens their mouth, and you know already whether it will be something joyful or menacing. The sentence that is.

And those ungroomed hairy nostrils, I miss them, too.

I fold into the mirror, one nose touching the other, let there be sentences.

* * *

Márton knows, he knows everything, his eyes are like magnifying glass.

Okay, I can go out in the afternoon, too, I can go anywhere, I can go to the shops, or to the park opposite, I can just go for a walk.
Anywhere.
Can I go to see you, too?
He'd like me to dye my abundant hair blonde, beautifulbeautiful.
But I'd like to be with you, with you!
I should go to Corfu, if I'm lucky I could see dolphins, and touch the slippery skintailhead of a dolphin.
I don't think there are dolphins in Corfu.
Márton couldn't care less. I should go some-where else then, go to Tahiti.
Chagall was also painting there.
Nono, that was Gaugin.
Okay, in that case, I should go somewhere else.
But no, I only want to go the promenade here, right in front of the house.
He thought I was smarter than this.
If I wanted, we could go to the movies tomorrow, or have some icecream, or attend a literary eve-ning, the novelist György Dragomán is coming.

* * *

The next day, we go to the cinema, he doesn't
pick me up from the house, the chauffeur takes
me there, so we only meet inside, on our seats.
We have two adjacent seats. I sit down, Márton
is already seated.
On my right side, he knows that I can't hear
anything with my left ear.
His Versace Blue cologne hits me, it soars from
my left nostril into my brain, and spreads into
my every nook and cranny.
As usual, he's tousling his grizzly beard.
I always head straight under his skin.
But this time, I can't, he won't let me, he's keeping
me away with his hand and his five long fingers.
I pull my face and elbow away, as I immediately
sense what he expects from me.
He expects us not to acknowledge each other.
Never Look Away, a German film, I'm glad I
could take my pick.
I knew it was a love story, hence my choice.
I looked into it, there's war and all sorts of other

stuff in it, too, Hitler and East Germany, I wanted
a film with a decent plot, for Márton's sake.
As for me, I have been drowning in this love for
nearly five months, I'm not interested in Hitler
and East Germany, from the whole saga I'm
only concerned with this greatgreat love.
I'm entirely lost, I think, mybackmyneck-
thetipofmynose, I can't orientate any more.
The film is about a blonde artist, charming and
modest, not like my Márton.

* * *

Dusk begins to settle outside, eyes fade into
faces, heads are looking increasingly alike.
Lipsticks gets smudged, mouths vanish in other
mouths, just like the hands, smaller hands in
larger ones.
This outdoor cuddling and snogging ends up in
my stomach and continues in a pulsating wave,
I feel faint.
There's no one on the pavement.

I may be able to hold his hand then, perhaps
he'll let me.
I'd like to hold his hand, here or elsewhere,
between the houses or on a field.
But not in a room.

* * *

Hold my hand.
I'dliketoholdyourhand, your hand, I'd like
your hand.
I don't have the courage to utter this.
I'd like my left hand to be in his right hand,
so he can touch me with his fingers, first the
middle of my palm, then the back of my hand,
my wrist, and we canjustwalkandwalk, from one
house to another, on and on, then turn around,
and around again, cross to the other side, or
stay on this side, our side.
To have my lefthandinyourrighthand, that's
what I'd like.
I'd sew your buttons on, and do the dishes
after dinner.

I'd sew on your buttons, and do the dishes after lunch and dinner, alwaysalways.
But I don't have the courage to say this out loud.
I touch his right hand with my left hand, and Márton hastens the pace, making a point of stepping away from me.
He must be right.
He's a writer, an artist or a philosopher, a well-known person, who probably has a wife and children.

* * *

Márton doesn't step back, my reflection in the shop window reveals that I no longer have my hat on, there's no longer a man by my side, and my hair has been blown in a myriad directions by the wind.
What kind of a world is the one where women fall in love and end up on their own?

* * *

At night, after the food delivery guy leaves, I understand that I have no neighbors.

I live in a hotel, in the largest suite on the first floor.

I'm idling about surrounded by large white walls, twenty hours a day, minus the other four, this is how long I spend in there, just breathing, as I used to say when I was a kid.

I just keep staring.

Why doesn't it say on the door that it's a hotel, but Márton doesn't respond to me, he's been barely responding for a month or so, only squeezing me, from above, from the side, from all sides, I'd much rather go back to Etus, but that's not possible, he thinks I'd go nuts with two old people, sharing a single run-down bathroom and a tiny twelve square meter room, as that's all they have, and he's right.

(Insideinside, with a man and
also a painting, one)

I WAS BORN to be a bride.
This really cramps his style, I don't see him for
a week.
But then he just shows up one day, at the usual
time, and unwraps a painting.
He brought it for me.
I'm ungrateful and obnoxious.
But he loves me.
This is the first time he says such a thing.
I completely lose my head, start kissing him all

over, but I can see that he thinks this is because of the painting.

As if I was interested in his crappy painting.

Where shall we put it, he asks, but I don't understand the question, all paintings should be kept in museums, he gets really agitated, his nostrils dilate, I don't even realize how right I am.

I'm not helping him as he cuts the adhesive tape, peels off the wrapper, I'm not helping withanyofthisatall.

Bride's Door, this is the title of the painting. Helen Frankenthaler, 1967.

I have a knack for art, have never studied it but it has stuck with me regardless.

For me, this is a kind of sampling, sorting the left from the right, my body simply picks out what's nice.

I take such decisions in a flash, and then that's that, it's irrelevant what other people think or say. About the painting that is.

In case we happen to concur, I celebrate, but that's rare.

This bridal portrait touches a chord, at once,
despite my heartache, it will end up costing
my heart.
I've never heard this name, Frankenthaler,
never ever, so I mention it to him, whothe
hellisthisfrankenthaler, and Márton says, he
hasn't been familiar with her until now, either.
But now he is, and whatever Frankenthaler
decides to paint will lead to an expensive artwork.
Because it's valuable?
Nono, this is unpredictable, outright whimsical.
Value steers clear of money, often, many times.
And it gets awayfaraway, far beyond our
eyeshot, and that's that, it then descends into
total oblivion.
Never to return.
Or the other way round.
What do you mean the other way round, I ask,
well, just like that, money pulls away from the
painting and leaves value high and dry.
It's also common that they stick nicely together

at first, and then they start moving away from each other, whoknowswhy, and from then on this will be it for good.

I'm not interested in this, not in the least, I'm only interested in beauty, in the fact that I can see this door, where there are two bodies, a man and a woman in the world, blood and heaven, and that all this blood is spurting from the bride's vagina straight onto heaven.

I'm only interested in these shapes, these colors, as the colors take shape and the shapes turn into colors.

They emerge before any sentences, at all times, and go straight into my brain.

They transport me into a state of blissful want, this is where I'm heading.

We put the painting in the bedroom.

One week passes after the other, without any change in my life.

A couple of hours here and there in the morning, in shops, beauty clinics, then another in the afternoon, with two hours of lovemaking in the middle.

I'm a pet, a lovelypet, I get patted a lot.
I moved out of the bedroom ages ago, I couldn't
stand the word bride.
I'll never be a bride.
Can I bring Etus and Lajos here?
I've been living here for over a year, could at
least Etus come round.
She didn't believe me when I told her about
the painting, she thinks that such paintings can
only be found in museums.
She can't come here, and I can't visit them with
Márton, either.

* * *

I no longer enjoy dressing up, or taking a shower.
I grab one of my shoes, a red stiletto, and
scratch the painting with it.
In the lower left corner.
This is my signature.
Márton looks at the painting, but nothingnothing.
The days are passing, and I know less and less
about him.

I can see that he's not an artist, or a writer or a philosophy teacher.
But I see nothing else, every day he eats and shits out his name, emerging from thin air.
He keeps fiddling with my legs, asking me to lift them higher, then lower, he doesn't kiss me at all.
I draw the blinds, and move down to the floor.

* * *

Let's have a picnic.
I don't know where he got this idea from, I've never done this before, I've only been hiking before.
I'm driven really far out by the chauffeur, with a hamper and a check blanket, it's straight out of a film, pure kitsch.
We meet by a stream, Márton is waiting for me on a check blanket, too, and I'm allowed to lie next to him.
This is not a room.
We make love.

*(Insideinside, with a man and
for now two paintings, two)*

THE NEXT DAY, he turns up with another paint-
ing, but this is smaller.
Why didn't you come with me, why didn't
you come to the hotel? We're always heading
in different directions, even from the check
blanket.
I should rather take a look at this painting
instead, it looks just like me.
He unwraps it all by himself, he knows that I
don't give a shit.
It's white.

Robert Ryman, *Monitor*, 1978.

It reminds me of the picnic, when I was in good spirits and looked fabulous.

I should always be like this, this fabulous, well, am I not, I ask, no, not so much lately, I look like a whitewashed grave, he says.

I can see that the painting is all white, too.

He has a change of heart, touches my hair, cuddles me back into life, and I'm easy and quick to persuade, look at the painting, it's also white, all white, there's no other color.

So much white. I should always remember that.

I'm not going to remember that, this isn't even pure white, this painting is dirty, like dirty underwear, calm down, he says, he did say about the picnic, didn't he start with that as soon as he arrived, he immediately said that it reminded him of the picnic.

But the picnic is green and checked.

The picnic is green and checked, but the picnic is also clean, like the color white on this white painting.

I don't know what to make of his patience, he's

normally not like this, he can't even come up
with such niceties.
Why don't I take a closer look, this is us, he and I.
Look, this is us, you and I.
I see this differently, this is just a dot, a huge
square dot, this is all I can see, and it touches us
in places where we never touch each other.
This can never be you and I.

* * *

I ask him to hold the painting level with his
chest, then my height, nono, his waist, in front
of his head, and to cover his neck, too.
Under our feet, on the floor.
But Márton is concerned that I'd step on it,
nononono, I have no idea how expensive it is.
Then he should place it level with his head,
his head indeed, and holditholdit there, still, a
little higher.
Márton is facing me, standing two and a half
meters away, black shoes, black trousers, indigo

jacket, white shirt, and no head, he doesn't have
a head. He has a white square in its place.
The painting.
Whitewashed grave, I ask, is that me.
He puts the painting down, and that's that, he's
back at being Márton.
Yet I remain white, but notofthepicnicvariety,
only that whitewashedgrave kind of white, and
I still let out a scent of dirty, off-white, even
without the painting.

* * *

Tomorrow, I'll buy a bridal dress and will cover
all this with it.
What will I cover, what do I want to cover, he
asks indignantly.
I shall cover this stinky whitewashed inside of
mine, the fact that I just sit on the windowsill
every half an hour, looking down, trying to
figure out which is my moment.
You're insane, he says, no I'm not insane, I say,

I'd like to hold your hand, here it is, he says, but
I'd like to hold it on the street, or in a shop.
You're mad, completely out of your mind, he's
losing his patience, he has been watching me
for some time, my mind has come apart from
my beautiful body.
At least for a month.
Monitor, 69 x 66 cm, we're sharing a room as
of today.

* * *

I'm the bride of Christ.
He can't grasp this, he hasn't received any
religious education.
Not even a Catholic one.
I lie on my back and fall asleep.
When I open my eyes, it's very late, four
o'clock in the afternoon and Márton is still
lying by my side.
Monitor, I say, is the title, monitor, like his own
square-shaped head.
Isn't this painting pure brainwork?

He looks mollified.

Our *Monitor* is still on the floor, I get up and hang it on the wall.

We spend two full days together, the three of us.

It's a great painting, I like it.

My foster father, Lajos, is a carpenter. He has taught me everything, so I can drill, hammer, chisel.

I put the painting up by myself, so he can see that I'm not a whore.

I'm using a hand plane and a saw, and apply clear varnish on the walls.

I scratch another line onto the surface of the painting, in the bottom left corner, using my red stilettos again, this line is also horizontal but much longer.

I reorganize my life.

It's no longer just the white walls and the furniture, made of cherry tree, walnut, and oak.

I also have two paintings, despite this not being a museum.

Bride's Door.

Monitor.

They can see each other, and move off the
wall together.
They make a mess of rearranging the space, my
life, the furniture and this breathing of mine.
Until I was four, we kept breathing with it
together, my mother, my father and I, all day
every day, from morning till night.

* * *

Today, I skip the two hours in the morning, the
chauffeur alerts Márton, is there a problem?
Márton calls me, makes a scene, these two
morning hours are meant to do good for
women, but Frankenthaler can do better,
and Ryman, Robert Ryman, too, Márton
gets confused, who are you talking about,
whothefuckamItalkingabout.
All Márton knows is that there are two valuable
paintings in the hotel room, and they are his
private property.
Why are these two thingies so important, these
two names, why do I have to show off, I put the

phone on speaker, so Márton doesn't stick to
my ears, to my ear wax, and from there, down-
down, all the way to my throat.
If he dribbles down, I end up trapped in this
hotel-based love.
Thisisthendofmylife, theendofmylife, this is
how I spend the morning.
Márton skips this day, too, so I lie down in the
bridal room, on my belly and on my side, as
soon as I enter the room, I'm a bride.
Virgincolored, thin membrane, in which Márton
also gets stuck, too.

* * *

In the afternoon, I go to the Gucci store, and
buy a bridal dress, twentysixthousandand-
twohundred euros.
I don't find this expensive, I'm a bride.
I drill a new nail next to *Monitor*, a longer one,
to hang my bridal dress.
In the middle of the wall, there's the off-white

Monitor, next to it, to the right, my Gucci bridal gown in sepia white.

And there's me, in the middle of the bed.

Even my breathing is bridal.

There's another tantrum the next day, how could I hang that bloody bridal dress on the wall, next to *Monitor* at that, if I was compelled to buy a bridal dress, how come I didn't at least hang it next to *Bride's Door*, if I had any brains, I wouldn't organize art according to colors.

I look at Márton, and he leaves.

I regret this, really regret it.

For the night, I move over to *Bride's Door*, under it to be precise.

Márton, Márton, I pant all night.

Hold my hand.

* * *

I'm still here the next day, on the floor, at the threshold of the *Bride's Door*, Márton lies on top of me and next to me, he's trying to be nice, even lets me drive the car, the Mercedes, but I don't

want to, he keeps kissing my neck, but I fail to get aroused, we can go for a picnic, and this annoys me the most, even the backyard at Etus is better than that fucking check blanket.

He'll let me keep one of the paintings, I don't want any of them, he's welcome to take them to the museum, so I get a slap in the face.

I want the bridal dress.

He suggests going to the cinema again on Wednesday, I can see that, without courage and imagination, we really can't get any further than the cinema.

We go to the cinema, nothing new, meet each other on our seats, huge screen, I don't even know what film I'm watching.

He takes my hand, when it's pitch dark in the room, and then, in the dark, he holds it real tight before quickly letting it go.

After the cinema, the car takes us far away, we are flyingflying, we get out, and it's more of the same.

He's holding my hand, are you pleased, he asks, IamIam, I say, very much so, I say to him, and

I notice the rubbish dump, we are next to the
rubbish dump, in the middle of nowhere, this
is where I had my first kiss, doesntmatterwith-
whom, we came here, so Etus couldn't find out.
So are you really pleased?
I'm struggling for words, and have no tissues in
my bag.
Crybaby, he wipes off my face, mysnotandsaliva,
youdarlingcrybaby.
He thinks that this is a life moment for me.

* * *

As a rule of thumb, one has to survive the next
day, and each day, the next hour.
I focus on this, and for a long time, there are no
problems, not for a month at least.
Order is reinstated, I spend two hours out of
the room every morning, and then another two
in the afternoon, we also make love at noon,
and besides, I can visit Etus on Fridays.
I live with the paintings.
I keep shuffling the bed on a daily basis, from

Bride's Door to *Monitor*, and back, the distance is minimal and the wooden floor slippery, so it's dead easy.

(Insideinside, with a man as well
as three paintings, three)

I MOVED HERE one and a half years ago, I've been
keeping count.
What would I like for this anniversary, now that
I've pointed out that it has been a year and a half.
Now that I get the picture.
How about another picture so to speak, would I
like another painting?
I say yes.
I calculate true happiness from this moment
onwards.
There are more and more paintings, and no

matter what happens to me, I know where to go. I get given a huge painting, it covers the entire living room wall.

Running White, Ellsworth Kelly, 1959.

I look at it, and nothing is clear, perhaps they are running towards each other, perhaps not, perhaps he wants to send me a message with this title, perhaps he wants to fool me.

He should at least notice that these two are almost identical, these two figures that are running towards each other again. Identical in colorformsize, in everything, but it is size that matters the most.

This is what I'd show to Márton if I had to choose something.

The figure on the left isn't roundish, perhaps only a little, the one on the right, however, is all breasts and moon-shaped, I can see that he's much more pleased about this.

That we are together again.

Man and woman, Márton is always sending me messages about love because he is incapable of talking about it.

I have always imagined lovemaking like this, a
woman and a man softly spooning each other.
They both get the same amount of what's good,
milk and honey, and this will lead to the land of
milkandhoney, and a tinytiny house.
But they don't give the same amount, I'm sure
of that.
This isn't actually important, because honey is
just flowingflowing.
Can you see how long it lasts?
What lasts so long, he doesn't get it, what am
I talking about, well, about love, look in the
middle, where these two half eggs touch and
warm each other, milk and honey are com-
pletely mixed together.
And they'll never ever be apart.

* * *

I hardly ever go into the room with the paint-
ings, *Bride's Door* and *Monitor* can lead a grand
life without me.
Whenever Márton looks edgy, I come up to

the third painting and read out loud its title,
Running White.

After he arrives and we kiss, I gently lead
Márton to this painting, and once he's gone, I
return here, in case he bangs the door, I lie on
my belly under the painting, and I sob, or if he
reaches back from the half-closed door, having
already left the apartment yet still fumbling in
my knickers.

That's when I quickly scamperback here, under
the painting.

That's when I lie on my back.

He slams the door on me on three consecutive
days, Tuesday, Wednesday, and Thursday.

Why can't I understand that he's an important
person, not some time-killer.

I dash to the painting and scratch a circle into
that loved-up dot, this urge has long been
lingering in the air.

This time, I'm not scratching a line but a circle,
I put a ring around the focal point of the paint-
ing, and take touch into captivity.

That tiny surface, the touch between woman

and man, where they think they are together.
And they think that they can suck each other in,
and welcome the other flowing with honeyand-
milk, and then there comes the plunge.
But it doesn't, and they don't plunge into each
other but always outwards, they tumble out of
the world, into the sea before the creation of
the world, near the abyss.
I scratch the painting with my red stiletto, the
result isn't a regular shape.

* * *

Hold my hand.
This painting also reminds me of this, always-
always. Slowly but surely, I take my leave from
this room, a few weeks and we're done, I only
come here if I crave to see this color, this
blackandwhite.
I failed to mention that this painting is
blackandwhite.
The world is black, in it, the woman is white,
so is the man, and they have plenty of options

lined up in front of them.

The man flees, or the woman flees, the woman quits, or the man, the man leaves, the woman leaves, they flee into the world, or notatall, they flee out of the world.

They both flee. It's not that difficult to work this out, even I could do it, even though I've never been an intellectual.

The final option is that they both stay.

But this isn't really an option, love comes and goes in a flick of time, vanishing into thin air.

* * *

These days, I do the cooking and have started to handle the cleaning, too.

I always make the same dishes, some soup and a second course. I like thick soups and light main courses, steamed vegetables, grilled meat, nothing flour-based at all.

Márton is concerned that I'll end up a housewife, the entire kitchen will move under-myskinandintomybody, beautiful women were

not born for this.

I run up to *Bride's Door*, and show him what beautiful women were born for.

To be brides, that's what they were born for.

To enter this bride's door and cook, clean, and hold on to their bridegroom.

It's impossible to hold on to the bridegroom, Márton explains, the whole bridegroom-thing only lasts for twenty-four hours, even less, and then he'll turn into a regular man, ofcourseofcourse, I've got this wrong, one has to hold on to the man.

But how could one hold on to a man, that's impossible!

Notatall, the woman gives birth to a child, and chains the man to herself, I know this.

Márton strokes me, how cute, I don't know what I'm talking about.

You don't know what you're talking about, still not, even though you are a twenty-three year old adult.

A man can't be held on to.

Take him, for example.

This wasn't the first time I realised all this.
I knew it already at the cinema, and even before
that, when I was sitting at the back of the
Mercedes C class, behind the chauffeur, and
looked out of the window, in my white gloves,
Jackie Kennedy sunglasses and red stilettos.
But I'm not Jackie Kennedy, and didn't go to
university, either.
I knew that all this sucks.
I stopped visiting Etus weeks ago, they banned
me and told me on the phone never again.
I immediately contacted my birth mother,
Anna, and went to see her the next day.
I've been meaning to do this for a very long
time, but it wasn't possible, initially because of
Etus, I mustn't be thankless seeing that they
were the ones who raised me, I thought.
Whenever they punished me, they kept saying-
saying, don't be ungrateful, you had everything
you needed, don't forget this, and I was con-
sumed by this all day every day, I'm a forgetful
ragdoll, a thankless dog.
Yet they've managed to raise me.

And then, I stumbled upon love, and since then,
I've been pining for Márton dayandnight.
I turned into a fish out of water, with my mouth
open, skin punctured, and I just want only him,
Márton, even in lieu of air.
I'm also thinking that this flurry is tied in with
pleasure, and this is where such uniformity
comes from, death and bliss, deathblissdeath,
one can't tell them apart.
Sweetlittledarling, why did you scratch all these
expensive paintings?
There are only three paintings, that's not
that many.
Why did you scratch these three then?
His knee is in my face, twice, thrice, on
mycheekboneonmychin, nonono, pleaseno.
I have no idea what you're talking about, I
really don't.
I don't know what you're talking about.

Everything happens for a reason, I've been
thinking only about this ever since Etus, my
second mother, has banned me from their house.
As I said, I immediately asked to be driven
to Anna, and Anna was standing at the gate,
waiting for me.
My father died a long time ago.
Etus told me four years ago, two hours before
my Romanian graduation exam.
Your biological father has just died, of cancer,
and with this, I've already forgotten all this,
my biological father, my biological mother,
Anna, the neighbors, the whole village, the
water in the washbasin has flushed everything-
everything away.
What's the name of my biological father, I
asked Etus, but she didn't tell me, why does it
matter, it's all the same now, he's dead, that's
what she said.
The exam topic was Mihail Sadoveanu, we
had to dothisandthat with the characters in
his novels, but all I could do was to squeeze
my father, my biological father, first into the

category of good fathers, he didn't belong there, then into the category of bad ones, he didn't belong there, either, so in the end, he was left in-between two rows of desks, gasping for air, where do I belong, where do I belong.
I passed my exam, thank God.

* * *

This first stage of my life has come back in the wake of Etus banning me.
We eat French toast with Anna, the table is sticky, like honey, so is the floor and everything else, why do you live here alone, I ask, why don't you move into a nice home for the elderly. Because a house dies if it's left alone, the walls need to be propped up from all sides, during the day, from the inside, and during the night, from the outside, there's no free time whatsoever.
She's doing just fine here.
She poured my tea, and the cooking fat, too, the latter into a pan, beat the eggs, starting with the largest and then the others, she shoved at least

four eggs onto my plate, and I ate them all.
Meanwhile, she was stroking me.
What shall I call you, for me this is a matter
of life and death, I have to know this, but she
didn't know.
Call her mother. Birth mother. Or just Anna.
She's never been a great talker.

* * *

But I'm okay.
If I'm struggling, I revert to my outings, morn-
ing and afternoon, if I'm struggling even more, I
stop these activities, and spend all my time with
the paintings.
In case nothingworkswhatsover, I get into the
Mercedes and ask to be driven to Anna.
I've already been there four times.

*(Insideinside, with a man as well
as three paintings, three, and myself)*

TODAY, MÁRTON arrives clutching another
packet, yet another painting, he unwraps it
already in the hallway and is heading to the
innermost room.
The one without a painting.
I can immediately tell that this is me, I'm in the
painting.
He places the painting in the middle of the
room, we're just standing there, looking at me
lying in middle of the painting, in the middle of
the room.

I'm in the middle of the room looking at myself.
Under me, there's all this brownish cardboard,
quite rough, Márton doesn't touch anything, he
doesn't even budge.

He can see the miracle, too.

I keep smiling back from the painting, a bit like
Mona Lisa, smiling at everyone at once, Márton,
myself, the furniture.

But mainly at the ceiling.

We bring our eyes into contact, me and me,
the standing and the lying me, smiling and
sobbing, sobbing and smiling, we're completely
intertwined.

Which one is me, do I smileorsob?

Smileorsob.

I kneel down, you see, I'm squatting next to
myself, see Márton, and Márton can see.

Márton is finally in love.

The title, tell me the title, *Self-Portrait*, Márton
whispers, and the painter, Paula Modersohn-
Becker, this is it, see, thisisit, I'm her, and
she's me, me and me, and I take the painting
in-between my legs, as if I was peeing.

Márton can see that this isn't about peeing,
I'm simply protecting this *Self-Portrait*. We're
in the middle of a miracle, which is happening
rightnow.
We're not afraid.
I keep kneeling above the painting.
I'm guarding it, as it couldn't cope with any
more abuse.
Márton leads me away from *Self-Portrait*.

* * *

It's not a famous painting, it can only be seen
at my place, only at mine, it's not included in
any albums.
Since I got my self-portrait, I've been buying all
sorts of albums about this period.
It's not included anywhere, well it couldn't be,
since I'm the artist.
Let me tell you about her.
My hair is tied back, I'm all subdued, insideand-
out, even my blouse.
You're such a dud, my second mother used to

weigh me down with this, you sluggishwimp-
ofaloser. And I'm really just like that in this
painting, every single danger hitting me straight
in the face.

My clothesfaceeyeshair are all brown, only that
large pearl and the plant hanging on the pearl
are blackish.

There are five leaves on the plant, just like my
face has a nose, a mouth and two eyes.

Paula Modersohn-Becker, narrow rectangle, 61
x 31 cm.

I decide not to hang the painting, I can't possi-
bly nail myself to the wall.

* * *

Márton, I should relearn to paint.

And he agrees, I can apply to study at an art
school next year, it's worth it, he even hires a
private tutor to help me prepare.

I have a flair about the arts.

I sleep better, look better, updated my

wardrobe, I had to, I haven't bought any new
items for three months.
I feel that my life is striking home in all respects.

* * *

But then it's Saturday again, and I get all
confused.
I've been to see Anna, where we had French
toast again.
I turn the key in the lock, and there's Márton
standing in the room, tangled into *Bride's Door*,
his nose up at the painting, soclosesoveryclose.
He never comes on a Saturday.
Show me your nails, and I do, he rips off two
nails on my left hand, why did you do this, why
are you damaging these paintings, you bitch,
everybody has bad days, I say, I have many
of these, but these bad days can't possibly
cost this much money, if you do it again,
ifyoudoitagainifyoudoitifyou.
I look out of the window, I stare.
I can't allow sadness or misgivings to deter me.

Márton is in love, he's like a bridegroom.
I make my bed next to *Bride's Door*, and even
manage to dream at night.
That somebody is sitting on my
neck, and is pressing me down,
pressingmyneckandpressingmeallover.
This person is wearing black, and has a mask on.
Helphelp, now that everything is finally going
well, nearly everything.
What does this person want here?
What does this person want from me, help, some-
bodyanybody, please come, I'd like to scream.
But I'm not screaming, my voice and all my
strength have left me.
I'm not dreaming.

Translator's Note

As a translator from less frequently trans-
lated literary cultures, I am used to pitch-
ing projects to publishers and journals, in the
hope that their schedules might accommodate
a Hungarian or Romanian text among the ar-
ray of languages they cover. The percentage of
translated literature is still strikingly low in the
English-speaking world, and unfamiliar authors
are perceived as a major risk. Most of the time,
an established author has a higher chance of be-
ing picked up by foreign language platforms, as
there is a clear guarantee of previous success in

the source culture. Chances are significantly increased, however, if there are existing translations into languages of wider circulation, seeing that in such cases someone in a receiving culture has already vouched for the work, confirming that it has potential relevance in a context other than its own.

The work of Melinda Mátyus is truly an exception in this sense, on several grounds. Firstly, Mátyus has entered the literary scene relatively recently, after several decades of having another career in which she is still active. Her belated debut, however, compensates for this delay, as she writes with a maturity, poignancy and urgency that instantly positions her in the vanguard of contemporary Hungarian literature. Secondly, Mátyus has not yet published a full volume of work (her first standalone collection of fiction is forthcoming soon), despite many high profile publications in literary magazines and despite being awarded several literary prizes. Thirdly, this volume is the first foreign translation of her work, put together with the

intention to showcase her original talent and to make a point in favour of taking creative risks against the odds, for which author and translator can only be grateful to Ugly Duckling Presse.

I discovered the fiction of Melinda Mátyus via her publications in the literary magazines *Látó* and *Jelenkor*, two of the best places to look for contemporary cutting edge Hungarian writing. Our shared interest in theatre also helped with forging a connection, and I started our collaboration by translating her very personal review of an exceptional pandemic-era stage production for *World Literature Today*.[1] This review—akin to her fiction—steers clear of adhering to strict genre norms and conventions, focusing instead on unconventional insights and a very particular sense of grammar that deconstructs received notions of what contemporary writing is or has to be. In this respect, I fully

---

1   "The Tragedy of Timișoara, by Melinda Mátyus," *World Literature Today*, February 9, 2021, https://www.worldliteraturetoday.org/blog/culture/tragedy-timisoara-melinda-matyus.

endorse Gábor Vida's view that Mátyus is "perhaps the only truly ground-breaking creative [in current Transylvanian and Hungarian fiction], who doesn't mold her sentences according to the requirements of literary theory courses but brings her own pace and rhythm to language and to the actual as well as psychological reality under scrutiny." Her one-of-a-kind juxtaposition of seeming detachment and utter involvement with the universe of her characters is simultaneously riveting, upsetting and rewarding, and may require more than one reading in order to unpack the nuances behind the apparent simplicity of style.

When translating from my heritage language (Hungarian) into the language of my habitual use (English), I am generally mindful of dialogue and of doing justice to both cultures on equal terms. Though I am in favour of readability in English, I am not prepared to compromise the uniqueness of the original or to camouflage the fact that we are dealing with a work in translation.

For this reason, I have been much more flexible with sentence structure than is usually the norm in English-language prose, offering up a provocation of sorts and inviting readers to perceive unconventional sentence structures as a means to conjure up an environment or a situation that may be new to them. Mátyus generally writes in relatively short yet very dense sentences, and her texts have a fragmented and symmetrical structure with unexpected twists. That said, when she includes the odd elaborate clause, she signposts a moment of change and, often, of emotional turmoil; for this reason, I retained these in English rather than splitting them into shorter and possibly clearer sentences from a target culture point of view. Lastly, I also retained her trademark conjoint repetitions—as seen in *MyLifeandMyLife*—out of respect for her writing style and in the hope of piquing the interest of readers who are willing to go the extra mile. Throughout this process, I continued to stay loyal to the original's meaning

and register, while rendering its intentions into English, without necessarily going for equivalence or the closest possible match for each and every word. Ideally, I managed to achieve coherence and a sense of harmony, and as Sophie Hughes contends regarding her take on the craft of translation, striving for "a playful pursuit of equilibrium across an entire work, an exhilarating and, yes, joyful balancing act of loyalties: to sense, to significance and to style."[2]

—*Jozefina Komporaly*

---

2   Sophie Hughes, "The Art of Translation," *The New York Times*, July 10, 2023, https://www.nytimes.com/interactive/2023/07/07/books/literature-translation.html?fbclid=IwAR1xgoUAr_wp5fHs1FAwAMYo6-_WUbr7YJd5FloKecDogQBkEmlo2-y8HcY.

Afterword

I f Nietzsche were alive today, the madman *(Der Tolle Mensch)* who gained fame in the wake of *The Gay Science* would probably run around town shouting, with his flickering lantern in broad daylight: "I am looking for love! I am looking for love!" And when the café crowds would begin their mockery, "oh well, where could love have possibly gone, perhaps it went into hiding in underground pits or boarded a ship and set sail for some uninhabited land," he'd answer shouting again: "We killed it—you and I! We are all its murderers."

Melinda Mátyus' exquisite writing is the disappearance of the poetics of love: a precise, and barely bearable chronicle. Its particular weight lies in its humanity and utterly fragile character. János Pilinszky, the Hungarian poet who can also be read in English thanks to Ted Hughes' excellent translations, writes that Mozart pointed to a man's wound with infallible knowledge, and tactfully withdrew his finger. Is it at all possible to point out suffering and describe its stages without causing further pain? Poesis, that is language, which is in fact time's articulated billowing, gives meaning to the apparently meaningless, to life events that seem akin to blind chance, and puts the onus on us to tell our stories and absorb the stories of others.

This alone, the task of sharing our selves, makes us human, nothing else.

In my reading, at the center of Melinda Mátyus' writing lies the question of disappearing love. The title already raises it with declared overtness: *MyLifeandMyLife*. The metonymy's minimalist gesture changes the meaning of two

identical words, presenting the fulfillment of a young woman's life as an impossible and irreplaceable choice. The peculiar license of the title—the author often makes use of meaning-changing juxtapositions in her narratives—can at once be read as a logical conjunction (interconnection) and disjunction (juxtaposition). With this simple "mathematical" gesture, she draws attention to the fact that the options available in our times have ceased to present us with real alternatives. Deception is caused by the fact that roles and positions are largely predetermined: no one is born into the world without a story; with our birth, not one of us steps into the null state of unbound possibilities. As soon as the gates of the world open before us, the story of our parents and parents' parents, the story of our wider community, the "small" (micro) narratives of our family, and the "big" (macro) narratives of history are placed upon us. Every touch, sound, slap, caress, spoken word, and cry becomes the pattern of our soul.

It is worth noting that in Melinda Mátyus' narrative, the male character has a name—Márton—but no story. The female character, on the other hand, is nameless, but still, we become part of her story: the mother "rescues" her from the circumstances of an abusive family (from the clutches of her husband) and hands her over to a relative, which is the only way to keep the Nameless Girl's conscious or unintentional humiliation secret. The story—trimmed and excluded from her memory—is not a redemption, however bloody it may be, seeing that the secret grows large, throws itself at us in the most unexpected moment, and mauls us beyond repair. The shortage of stories, including that of Márton, is a source of constant threat.

The story-less Márton, with his expropriating and objectifying "love," seems to merely fulfill the function of the Angel of Death in the development of the plot, by carrying out the death sentence on the Nameless Girl. Márton carefully "civilizes" the young woman's expropriation, as he prudently places his mistress in

the cultural space, and buys her original works of art, reminding her of their material nature. Murder becomes an indiscernible and continual ritual of a civilization unable to face itself. A vertiginous metaphor, able even to morph our gaze.

Smooth functioning between master and mistress is rendered impossible by the girl's unconditional love for the boy. One could say that the author is resorting to some sort of unreflective Hollywood dramaturgy, pushing for a happy end, but the opposite is actually true. In our view, the writing constructs an Antigone situation, a conflict, from which only catastrophe, some kind of essential collapse, can lead the reader out. In happy endings, or in other words, in the good deeds of justice, it is not the characters, but the readers who recognize themselves. The rites that govern the relationship between master and mistress are realized in the world of luxury, and the strangeness of the Nameless Girl is so powerful in dismantling the mechanism of impersonality and the construction that tactfully conceals suffering that it can only

find its match in Greek tragedies. It does not moralize—since it would replace cause with effect—but instead deems its authentic identity as shareable and inclusive. Imagine a situation with two porn stars falling for each other from one moment to the next during shooting, recognizing the real being in each other, and letting go of their materiality, stepping into the reality of their shared life. It would most certainly lead to catastrophe, filming would suddenly become impossible, and the perfectly functioning slave market, serving the cause of nothing, would become a laughingstock.

This is the possibility that *MyLifeandMyLife* is drawing attention to, by way of its gentle language bordering on musical expression. There is always a gap, a barely noticeable crack, through which the light gets in: our only chance to seize our lives. As is the case in Kafka's *Before the Law*. We only stand before one gate, our own, and we have to take a single step to enter it, fearing nothing, to begin our life.

The Nameless Girl crosses the threshold—for us. She does not reckon with her scandalous situation; she allows, like Juliet or Antigone, her subversive purity to do justice to us and within us.

Once we expose ourselves to the transformative power of reading, the civilization of painless self-absolution can collapse at a single touch.

—*András Visky*

First Edition, First Printing

Printed & bound by Sheridan (Saline, MI)
Covers printed letterpress at Ugly Duckling Presse
Typesetting & design by Kireji

This project is supported in part by an award from
the National Endowment for the Arts, by a Poetry
Programs, Partnerships, and Innovation grant from
the Poetry Foundation, and by the New York State
Council on the Arts with the support of the Office of
the Governor and the New York State Legislature.

Első kiadás

Nyomtatta és kötötte: Sheridan (Saline, Michigan)

Borítók nyomtatott magasnyomással az Ugly
Duckling Presse-nél